OPÉRATION

D0715116

Données de catalogage avant publication (Canada)

Cavezzali, Lucia

Opération Juliette
(Caméléon)
Pour les jeunes de 9 à 11 ans
ISBN ISBN 2-89428-600-7

I. Titre. II. Collection : Caméléon [Hurtubise HMH (Firme)]

PS8555.A877O63 2002   jC843'.6   C2002-941270-6
PS9555.A877O63 2002
PZ23.C38Op 2002

Les Éditions Hurtubise HMH bénéficient du soutien financier des institutions suivantes pour leurs activités d'édition :

– Conseil des Arts du Canada ;
– Gouvernement du Canada par l'entremise du Programme d'aide au développement de l'industrie de l'édition (PADIÉ) ;
– Société de développement des entreprises culturelles au Québec (SODEC) ;
– Programme de crédit d'impôt pour l'édition de livres du gouvernement du Québec.

Éditrice jeunesse : **Édith Madore**
Conception graphique : **Marc Roberge**
Illustration de la couverture : **Geneviève Després**
Mise en page : **Lucie Coulombe**

© Copyright 2002
Éditions Hurtubise HMH ltée
Téléphone : (514) 523-1523 • Télécopieur : (514) 523-9969
www.hurtubisehmh.com

Distribution en France
Librairie du Québec/DEQ
Téléphone : 01 43 54 49 02 • Télécopieur : 01 43 54 39 15
Courriel : liquebec@noos.fr

Dépôt légal/4e trimestre 2002
Bibliothèque nationale du Canada
Bibliothèque nationale du Québec

Imprimé au Canada

LUCIA CAVEZZALI

OPÉRATION JULIETTE

HURTUBISE
HMH

CAMÉLÉON

LUCIA CAVEZZALI est née au Québec, à Val-David dans les Laurentides.

Après des études collégiales en lettres françaises et en tourisme, elle s'est perfectionnée en illustration et graphisme à l'Académie des Arts de Montréal. Elle travaille comme agente de bord pour une compagnie aérienne depuis plusieurs années.

Passionnée par la lecture, l'écriture et le dessin, Lucia est aussi fascinée par l'imagination des enfants. *Opération Juliette* est son deuxième roman pour les jeunes, après *Le Mystère du moulin*, publié dans la même collection.

À Stefan et Sacha
À Carmelle et Franco

La mystérieuse Jade

Ouf ! Je croyais que la cloche ne sonne-rait jamais. Des maths pour terminer un vendredi après-midi, ça n'a rien de passion-nant. J'ai hâte de mettre le nez dehors. J'adore ces belles journées ensoleillées d'automne quand l'air est pur et qu'on est bien avec juste un gros chandail.

Je rejoins Annie et Jade à ma case. Je les ai invitées à dormir à la maison ce soir. Nous allons louer des vidéos et parler très tard, « jacasser », comme dirait mon grand frère Simon. Nous nous lançons un défi à qui restera éveillée la dernière. Annie, ma meilleure amie, n'a pas encore réussi à me battre à ce petit jeu, elle s'endort toujours avant moi. Je connais peu Jade, qui est nouvelle à l'école cette année. C'est la première fois qu'elle vient chez moi. Je verrai bien.

— Salut les filles, êtes-vous prêtes ?

— Oui ! Est-ce qu'on passe toujours prendre des films ? demande Annie.

— Bien sûr. Il vaudrait mieux se dépêcher, sinon il n'y aura plus de choix.

Nous nous dirigeons toutes les trois vers l'extérieur et faisons quelques pas dans la cour.

— Ah ! zut ! dis-je tout haut.

— Quoi ? demandent mes amies.

— Je dois retourner dans la classe, j'ai oublié ma clé et l'argent pour les films. Attendez-moi !

— Marika, tête de lune, fait Jade en riant. Presse-toi un peu.

En entrant dans l'école, je croise Mme Longchamp, la secrétaire, qui s'apprête à partir.

— Bonjour Marika. As-tu besoin de quelque chose ?

— J'ai laissé ma clé dans la classe.

— Alors dépêche-toi. M. Lavigne n'a pas terminé son ménage. Si c'est fermé à clé, demande-lui de t'ouvrir.

— D'accord. Merci et bonne fin de semaine !

Je m'éloigne rapidement. Ma classe est à l'autre bout du couloir. Par les bruits de chaises, je conclus que notre concierge est dans la cafétéria. Il n'a pas encore fini sa tournée, car la porte de mon local n'est pas verrouillée. Je récupère rapidement mon porte-monnaie et ma clé avant de me diriger vers la sortie.

Les journées raccourcissent de plus en plus. Il commence déjà à faire sombre. Tiens, il y a quelqu'un dans la salle d'informatique. J'entends une voix. Curieuse de nature, je m'approche sans faire de bruit. C'est M. Ming, le nouveau professeur d'anglais. Je ne l'aime pas, il ne m'inspire pas confiance et je n'ai aucune envie qu'il me pose des questions. Je me demande quand même ce qu'il fait là puisque tout le monde est parti. Je tends une oreille indiscrète. Il parle à quelqu'un dans son téléphone cellulaire.

— Oui... Il n'y a aucun doute... L'opération Juliette est commencée... Sûrement dans son dossier... D'accord, cette fois je les tiens. Oui, elle me fait confiance... Non, mais il faudrait l'éloigner pour quelques jours, il pourrait tout gâcher. Prends note : Mike, Oscar, Romeo, Echo, Lima.

Comme j'adore jouer les détectives, je traîne toujours un crayon et un calepin dans ma poche. Je note aussi vite que possible les mots que j'entends.

— J'attendrai ton message... oui... la greffe... le 10 octobre... Après ? L'éliminer oui...

L'éliminer ? Qui ? Quoi ? Oh non ! le nez me pique ! Je vais éternuer...

— A... a... atchoum !

Zut ! J'ai échappé mon crayon, qui roule jusqu'à la porte. Je cesse de respirer. Le professeur s'est tu. Je recule sans bruit et me glisse à l'intérieur d'une classe dont la porte est ouverte. J'entends M. Ming se lever précipitamment et sortir dans le couloir. Il reste là quelques instants, puis retourne dans le local et referme la porte derrière lui. J'avise une fenêtre entrouverte, je l'ouvre un peu plus et me glisse à l'extérieur. Ce n'est pas haut. Je saute rapidement.

— Drôle de manière de sortir de l'école. Au collège, je serais déjà en retenue.

Je me retourne. Deux garçons debout sur leurs planches à roulettes me regardent d'un air moqueur.

— Je... J'avais oublié ma clé, et... j'étais embarrée et puis... et puis ça ne vous regarde pas, après tout, dis-je en leur tournant le dos et en m'éloignant d'un pas décidé.

De quoi se mêlent-ils, ces deux-là ? Je les entends rire dans mon dos. Je cours pour rejoindre Annie et Jade. En tournant le coin, je bouscule légèrement une dame.

— Eh ! Fais attention, petite effrontée.

Je m'excuse, en m'empressant de ramasser les gants que je lui ai fait échapper.

— Bon, ça va, répond-elle en me jetant un regard qui me glace sans que je sache pourquoi.

Je retrouve avec soulagement mes amies et je leur fais un bref résumé de mon aventure.

— Qu'est-ce qu'il fabrique, ce M. Ming ? demande Annie. Je ne l'aime pas tellement comme professeur d'anglais. Je préfère de loin Mme Ryan. J'espère que son congé de maladie ne sera pas trop long.

— Moi, je le trouve plutôt gentil, intervient Jade.

— Il est peut-être gentil avec toi, mais, moi, il est toujours sur mon dos. « Marika Johnson, tenez votre langue ; ne soyez pas grotesque, mademoiselle Johnson », dis-je en essayant d'imiter notre professeur.

— Jade, toi aussi il t'a enguirlandée l'autre jour, fait remarquer Annie. T'en souviens-tu ? Tu avais fait signer ton examen par ta gardienne, Mme Dawson, au lieu de ton père.

— Oui, c'est vrai, admet Jade. Il était vraiment contrarié. Une chance que papa revenait ce soir-là et qu'il a signé ma feuille pour le lendemain. « Signature des parents. » Pff, ma nounou faisait très bien l'affaire, selon moi.

Nous bavardons tranquillement en nous dirigeant vers le club vidéo.

— C'est bon de prendre l'air, dis-je en respirant à fond. Vous savez, j'aimerais bien qu'il se passe des choses un peu louches à l'école, je m'ennuie quand c'est trop tranquille.

— Tu n'as qu'à analyser ma vie, suggère Jade en riant.

— Pourquoi dis-tu ça ?

— Mais oui, la mystérieuse Jade. J'ai l'impression d'être un gros point d'interrogation pour les gens. J'ai déménagé tellement de fois que je n'ai même pas d'amis d'enfance. Pas de mère, un père toujours absent pour son travail et une nounou à temps partiel…

Jade s'interrompt soudain et se frappe la tête de la main.

— C'est vrai, j'allais oublier. Vous connaissez l'herboristerie San-thé ? demande-t-elle.

— Ce n'est pas loin du club vidéo. Pourquoi ?

— Je dois acheter de la tisane pour Mme Dawson. Ça ne vous ennuie pas de faire un petit détour ?

— Mais non. Regarde, c'est juste de l'autre côté de la rue, dis-je en pointant du doigt une boutique où clignote un néon vert et jaune. Allons-y tout de suite.

Ce magasin m'a toujours intriguée avec sa vitrine fleurie et ses contenants colorés remplis de thés aux noms exotiques. Nous suivons Jade à l'intérieur. Des arômes de plantes et d'épices embaument la pièce. Un homme sort de l'arrière-boutique les bras chargés de boîtes qu'il dépose sur une étagère.

— Bonjour, comment puis-je vous aider ? demande-t-il aimablement en se tournant vers nous.

Son visage se fige quand il pose son regard sur Jade. On dirait presque qu'il vient de voir un fantôme.

— Oh ! ... Je... vous... heu... excusez-moi, bafouille-t-il.

— De la tisane d'artichauts et de l'huile d'eucalyptus, s'il vous plaît, commande Jade, un peu embarrassée.

Le vendeur s'empresse d'aller chercher les deux articles demandés et les met dans un sac.

— Neuf dollars et trente-cinq, annonce-t-il en poinçonnant sur sa caisse. Vous êtes nouvelles dans le quartier ?

— Moi oui, répond Jade en prenant la monnaie que l'homme lui rend. Merci.

De nouveau sur le trottoir, nous éclatons de rire et accélérons le pas.

— Il est plutôt bizarre, celui-là ! s'exclame Annie.

— As-tu vu sa tête quand il t'a regardée, Jade ? Je me demande ce qu'il avait.

— C'est mon incroyable beauté, voyons, plaisante Jade en poussant la porte du Vidéostar.

Avant d'entrer, je jette un coup d'œil en direction de chez San-thé. L'herboriste est là qui nous observe. Rapidement, il se détourne et s'éloigne en boitant.

Nous sommes loin d'être les seules à avoir eu l'idée de louer des films pour ce soir. Il n'y a presque plus de nouveautés sur les tablettes. Nous discutons encore quand Katryne et Noémie, deux filles du cours de danse, s'approchent de nous.

— Tiens, Madame l'indépendante, lance Noémie en s'adressant à Jade. Tu pourrais au moins dire bonjour quand tu nous croises, à moins qu'on ne soit pas assez bien pour toi.

— De quoi parles-tu ? demande Jade.

— Tu ne vas quand même pas me dire que tu ne nous as pas vues hier soir, à ta sortie du « Grand Hôtel », explique Noémie.

— Le Grand… ? Moi ? bafouille Jade.

— Tu as droit à tes secrets mais, la prochaine fois, fais au moins un signe de la main. Bye, les filles, bonne soirée, dit Katryne.

— Ça alors ! Elle fait complètement erreur sur la personne. Elle a besoin de lunettes je crois, s'exclame Jade, offusquée.

— Tu as peut-être un sosie ? insinué-je.

— Oh toi ! Tu vois des mystères partout, réplique-t-elle.

Nous nous dirigeons finalement vers chez moi.

— Je commence vraiment à avoir faim, se plaint Annie après un moment de silence. Pas vous ?

— Moi aussi, dis-je, et maman a promis de commander de la pizza ce soir.

— Hum. Ça va être bon, fait Jade. Je crois que j'aime déjà ta mère, ajoute-t-elle en riant.

Plus tard dans la soirée, mes deux amies sont endormies. J'ai encore gagné. Je me relève pour fouiller dans mes poches de pantalon et récupérer le papier sur lequel j'ai pris des notes cet après-midi en écoutant M. Ming. Je me demande ce que ces mots signifient. Mike, Oscar... Ce sont des noms de personnes pour la plupart. Et l'homme de l'herboristerie ? Pourquoi nous surveillait-il ? J'ai hâte d'en parler à Francis. C'est mon ami d'enfance. Il va au collège privé, mais nous nous retrouvons pendant les vacances et durant les fins de semaine. Il m'aide dans mes enquêtes. Je dois avouer que le fait que son père soit policier nous donne souvent de bons coups de main. C'est pourquoi je lui ai laissé un message sur son répondeur un peu plus tôt. Alors que le sommeil me gagne, je glisse la feuille sous mon oreiller. La nuit me portera peut-être conseil.

Monsieur Jacob

Le lendemain matin, la sonnerie du téléphone et la voix « chaleureuse » de mon frère Simon me réveillent.

— Marikaaa ! C'est pour toi. Pas moyen de dormir un matin...

Je décroche le combiné.

— Je crois bien que j'ai réveillé ton frère, affirme Francis à l'autre bout du fil.

— Pas seulement lui, fais-je d'une voix ensommeillée. Mais ce n'est pas grave. Qu'est-ce qui te rend si matinal un samedi matin ?

— Matinal ! Il est neuf heures trente. Tu m'as laissé un message hier soir. Comme ça avait l'air urgent, je te rappelle.

— Oui, c'est vrai. J'ai des choses à te raconter, Francis.

— Viens chez moi tantôt, répond-il.

— D'accord. Je suis avec Annie et Jade, la nouvelle copine dont je t'ai parlé.

— Pas de problème. À plus tard.

Je relate ma conversation à mes amies en enfilant mes jeans.

— À quelle heure va-t-on chez Francis ? demande Annie, les yeux brillants.

— Quand on veut. D'abord, il faut prendre un bon petit déjeuner. Je ne vis pas d'amour et d'eau fraîche, moi, dis-je pour taquiner Annie.

Nous sommes enfin prêtes à partir. J'avertis ma mère et nous voilà sur le trottoir.

Il fait un temps magnifique. Nous faisons quelques pas avant d'apercevoir le type de chez San-thé qui lit son journal sur un banc de l'autre côté de la rue.

— Lui ! murmure Annie. Qu'est-ce qu'il fait là ? Nous aurait-il suivies ? Il est peut-être dangereux.

Nous passons devant l'herboriste en faisant comme si de rien n'était.

— Il faudrait trouver une façon d'en savoir plus à son sujet, dis-je. Mais allons d'abord voir Francis.

Notre ami nous accueille en compagnie de son gros chien, Boff.

— Comme il est gros !... et poilu ! s'exclame Jade en voyant le chien.

— Il s'appelle Boff. Il prend de la place, mais il est doux comme un agneau, la rassure Francis.

Jade commence à renifler.

— Je ne pourrai pas rester, je suis vraiment très allergique aux chiens. Je suis navrée, dit-elle en reculant vers la porte. Allons chez moi si vous voulez.

Tout le monde est d'accord.

— Boff, tu restes ici. Désolé, mon vieux, lance Francis en repoussant son chien à l'intérieur avant de fermer la porte.

Jade respire un peu mieux. J'ai eu peur qu'elle fasse une crise d'asthme.

En chemin, nous relatons à Francis tous les événements de la veille et du matin. M. Ming, l'attitude de l'herboriste, les commentaires des filles au club vidéo, la présence de l'herboriste sur la rue.

— Mmm! Inspecteur Marika, vous avez du pain sur la planche, on dirait, constate Francis.

— J'espère bien que tu vas m'aider!

— Évidemment, répond Francis, je suis tellement indispensable…

Nous tournons sur la montée Dutil. C'est là que Jade habite.

— Y a-t-il quelqu'un chez toi? lui demande Annie.

— Non. Mon père est allé à un congrès à Boston pour trois jours et Mme Dawson ne sera ici qu'en fin d'après-midi. Entrez, je vais préparer des sandwiches.

C'est la première fois que Jade nous invite chez elle. Nous la suivons à l'intérieur.

— Bonjourr! Bonjourr! crie une voix provenant d'une autre pièce.

Nous regardons Jade avec étonnement.

— Venez au salon que je vous présente monsieur Jacob, dit Jade avec un sourire malicieux.

Un perroquet gris perché sur le dessus de sa cage nous regarde en tournant la tête de côté.

— C'est un Jaco. Mon père l'a rapporté d'un voyage au Sénégal, en Afrique occidentale. C'est un grand parleur. Monsieur Jacob, continue-t-elle en se tournant vers le perroquet, je vous présente Marika, Annie et Francis.

— Bonjourr Jacob ! Et Francis ! Et Francis ! Bonjourr ! de répondre l'oiseau.

Nous éclatons de rire.

— Assoyez-vous. Je n'en ai pas pour longtemps, assure notre hôtesse en se dirigeant vers la cuisine.

— Veux-tu de l'aide ? demande Annie.

— Non merci, ça va aller.

Je fais discrètement le tour de la pièce. Les murs sont décorés d'objets exotiques. Des souvenirs de voyage, je suppose. Je me permets d'ouvrir un album de photos posé sur une tablette de la bibliothèque. On peut y voir Jade à différents âges. J'examine de plus près une photo représentant un couple quand Jade revient avec un plateau.

— Ce sont mes parents, explique-t-elle en déposant le dîner sur la table du salon. Sandwiches, chips et limonade. Ça vous va ?

— Ça vous va ? Ça vous va ? répète M. Jacob.

— Oui, c'est extra. Tu ressembles beaucoup à ta mère, fais-je gentiment.

— C'est vrai, me répond Jade. Malheureusement, je ne l'ai jamais connue. Elle est morte peu après ma naissance. Mon père dit qu'elle était très jolie. J'ai hérité de ses yeux bridés et de ses cheveux noirs. Mon grand-père maternel était Chinois. C'est d'ailleurs lui qui lui a enseigné à peindre les bambous comme ces deux tableaux sur le mur derrière Annie. C'est un art chinois qui la passionnait. Maman s'amusait à dessiner des bambous fleuris, car ils sont très rares.

— J'ai remarqué une peinture semblable à la boutique San-thé, affirme Annie.

— Ah oui ? C'est possible, répond Jade.

— Que fait ton père ? demande Francis.

— Il est chercheur en génétique. Papa ne s'est jamais complètement remis de la mort de ma mère. Le jour de ma naissance, il venait de faire une importante découverte qui devait permettre de mieux comprendre les maladies héréditaires. Le document principal de sa recherche a été volé dans son bureau. Il était très préoccupé et n'a pas assisté à l'accouchement. Il y a eu des complications. Ma mère n'avait pas une santé très forte et ils n'ont pas pu la sauver.

Jade fixe la photo. Pendant un instant, elle semble perdue dans ses pensées. Alors que nous saisissons combien elle se sent seule, aucun de nous n'ose rompre le silence.

— Mon père se sent coupable d'avoir été absent dans un tel moment, continue-t-elle finalement. Parfois j'ai l'impression qu'il m'en veut d'avoir survécu, et pas elle. Pourtant, moi je l'aime tellement ! Après, on a déménagé je ne sais plus combien de fois. Mais cette année il a décidé de revenir s'établir ici, car je ne supportais plus de changer d'école et il voulait retrouver l'université où il avait autrefois commencé ses recherches. Quand il doit séjourner à l'extérieur, je demeure avec ma nounou, Mme Dawson. Dans le fond, c'est surtout elle qui m'a élevée. Lui, il n'est jamais là. Des fois je me demande s'il se rend compte que j'existe, ajoute Jade, le regard triste.

Je montre une photo.

— Qui est-ce ?

— Ma mère, mon père. L'homme à la barbe était son meilleur ami d'université. Je ne sais pas ce qu'il est devenu. Papa n'a jamais voulu me parler de lui.

— Comment s'appelle-t-il ? demande Annie.

— Regarde à l'endos, fait Jade.

Je retourne la photo et lis à voix haute :

— Marie, François, Lazo, les trois mousquetaires. Tous pour un et un pour tous.

Lazo ? Drôle de nom. Ce doit être un diminutif.

Après le dîner, Jade nous montre sa chambre. Nous sommes fascinés par une magnifique boîte à musique sur sa table de chevet. C'est un carrousel en bois sculpté et peint. Tout autour sont incrustées de petites pierres précieuses.

— Wow ! C'est vraiment joli, s'exclame Annie.

Je tourne délicatement la clé. Quelques notes de musique s'échappent de la boîte, mais ce n'est pas assez pour reconnaître la mélodie. Les chevaux miniatures, eux, demeurent immobiles.

— Elle ne fonctionne pas, signale Jade. Le mécanisme doit être brisé. Mon père me l'a donnée en souvenir de ma mère. Cette boîte lui vient de sa grand-mère, je crois. Papa dit que maman la mettait sur son ventre durant sa grossesse et faisait jouer la musique pour me bercer. Elle l'avait même apportée à l'hôpital le jour de ma naissance. Depuis, je crois qu'elle n'a plus jamais fonctionné. C'est comme si elle était morte en même temps que maman.

— Attends une minute ! Je connais quelqu'un qui pourrait peut-être la réparer, annonce Annie, tout excitée.

— Qui ? demandons-nous tous en même temps.

— Mon grand-père. Il était horloger. Il est à sa retraite maintenant, mais il a encore tout son matériel et il adore retaper de petits mécanismes juste pour le plaisir.

— Je veux bien essayer, dit Jade, les yeux soudain pleins d'espoir. J'aimerais tellement entendre cette fameuse mélodie, ajoute-t-elle.

— Si tu es d'accord, je l'appelle tout de suite, propose Annie.

— Bien sûr. Le téléphone est dans le salon.

Après un moment, Annie revient toute souriante.

— Mon grand-père nous attend demain dans la matinée et ma mère est d'accord pour nous y emmener, car c'est trop loin pour s'y rendre à pied. On passera te chercher, Jade, annonce-t-elle fièrement.

Les grands-parents d'Annie sont bien sympathiques et j'aime toujours aller les visiter avec mon amie. Ce sont des gens qui s'intéressent à un tas de choses et qui se gardent bien en forme. Ils font de longues randonnées cyclistes sur leur tandem et voyagent régulièrement. Après les présentations et une délicieuse collation, le grand-père d'Annie examine la boîte à musique.

— Voyons ça. Elle est vraiment magnifique, probablement très ancienne et d'une grande valeur, commente-t-il en ajustant ses petites lunettes.

— D'une grande valeur sentimentale, en tout cas, précise Jade. Croyez-vous pouvoir la réparer ?

— Je l'espère bien. Je vais devoir démonter le dessous. On dirait qu'un obstacle empêche le mécanisme de faire tourner les chevaux. C'est peut-être simplement une vis qui se serait desserrée. J'en ai pour une heure environ.

En attendant, nous décidons d'aller nous promener aux alentours. C'est un très beau quartier. Nous marchons dans une avenue bordée d'arbres magnifiques. C'est un coin qui semble assez huppé. Nous nous amusons à comparer les maisons toutes plus grosses les unes que les autres.

— Je ne suis jamais venue par ici, nous confie Jade.

Nous allons traverser la rue quand une fille inconnue aborde Jade. Un vrai moulin à paroles.

— Toi ! Ça alors ! Mais tu m'as l'air en pleine forme. Le grand jour approche, hein ? Je suis sûre que tout va bien se passer. Quand je vais dire à Vanessa et à Josie-Anne que je t'ai rencontrée !

Jade reste figée, la bouche entrouverte. Son interlocutrice ne lui laisse aucune chance de placer un mot.

— Bon, je dois y aller. Je suis contente de t'avoir revue. C'est joli, tes cheveux. À la prochaine ! conclut l'inconnue.

Sans attendre de réponse, cette mademoiselle la pie lui colle deux becs sonores sur les joues et s'éloigne en lui faisant un signe de la main.

— Quelle tornade, celle-là ! s'exclame Francis.

Je regarde Jade du coin de l'œil. Je commence à me demander si elle ne nous cache pas quelque chose.

— Qui est cette fille ? La connais-tu ?

— Pas du tout, répond Jade. Le grand jour ? Quel grand jour ? Je n'ai rien compris à son charabia.

Nous marchons en silence quelques instants. Soudain, Jade fait un geste d'impatience et s'arrête brusquement en se tournant vers moi.

— Ça m'énerve à la fin. Je n'y comprends rien. Tous ces gens qui me parlent comme si j'étais une autre personne... Marika, aide-moi à démêler tout ça, tu veux bien ?

— Bien sûr. Ne t'en fais pas, on va t'aider, dis-je pour la rassurer.

— Trouver à qui tu ressembles serait un bon début, je suppose, suggère Francis.

— Oui, mais comment savoir où chercher ?

À notre retour, le grand-père d'Annie nous accueille avec un sourire radieux.

— À vous l'honneur, mademoiselle, dit-il à Jade en désignant la boîte à musique de la main.

Jade s'approche et tourne lentement la clé. Une douce mélodie se fait alors entendre, et les minuscules chevaux de bois se mettent à tourner en montant et descendant à tour de rôle. Jade est émue.

— C'est merveilleux ! Merci, s'écrie-t-elle en embrassant M. LaBrèche.

— Qu'est-ce qui était brisé ? lui demande Francis.

— Rien du tout en fait. C'est ce papier qui bloquait le mécanisme. Quelqu'un a dû le glisser à l'intérieur par la fente sur le côté, explique-t-il en remettant à Jade un bout de papier qu'elle s'empresse de déplier.

— Qu'est-ce que c'est ? demande Annie.

— Je ne sais pas. On dirait du chinois, répond Jade.

Un mince feuillet se détache soudain de la première feuille et tombe par terre. Je le ramasse et lis à voix haute :

— « *Pardon, François ! Oublie ce qui s'est passé. Un jour peut-être pourras-tu comprendre. Paul* »

— Ça s'adresse à mon père, dit Jade. J'ai hâte de lui montrer tout cela !

— Il faudrait trouver quelqu'un qui peut lire le chinois, remarque Francis.

Jade est vraiment de bonne humeur.

— C'est super, je vais pouvoir apporter mon carrousel pour l'exposé oral en anglais mercredi matin, déclare-t-elle, joyeuse.

Pour le prochain cours, M. Ming nous a demandé d'apporter à l'école un objet de notre enfance qui est précieux pour nous et d'expliquer pourquoi.

De retour chez moi dans la soirée, je reçois un téléphone de Francis.

— Marika, je voulais te mettre au courant. Il s'est passé des choses à ton école vendredi soir. Mon père m'a dit qu'il y a eu un vol. Des dossiers d'élèves ont disparu.

En faisant sa tournée, M. Lavigne s'est rendu compte que la serrure du secrétariat avait été forcée et qu'il y avait une fenêtre grande ouverte dans un local. Il affirme n'avoir rien entendu.

Francis continue de me donner des détails. J'ai très hâte au lendemain pour tout raconter à Annie et Jade.

Le porte-documents

Le lundi matin, la nouvelle s'est répandue et toutes les conversations à l'école tournent autour des événements de vendredi soir. Chacun a sa propre théorie. Je raconte à mes amies les détails que Francis m'a confiés la veille.

— Le voleur aurait pris certains dossiers d'élèves dont le nom de famille commence par les lettres M,O. La police dit que c'est un professionnel, car il n'a laissé aucune empreinte digitale et n'a pas fait de dégâts. Selon eux, il cherchait quelque chose de précis.

— M,O ?

Annie et moi avons la même idée en même temps. Nous nous tournons vers Jade.

— M,O, comme dans Morel, complète-t-elle d'un air entendu. Mais Francis a dit que le voleur a pris plusieurs dossiers. Certainement pas juste le mien.

Annie attrape mon bras.

— Marika ! s'exclame-t-elle. Tu es retournée dans l'école pour aller chercher ta clé, vendredi. La secrétaire t'a vue. On va sûrement te poser des questions !

Annie avait vu juste. À la première période, je suis demandée par interphone au bureau du directeur. J'essaie d'avoir l'air le plus détendu possible alors que je frappe poliment à la porte du bureau.

— Entre, dit M. Béland. Marika, voici l'inspecteur Miron qui désire te poser quelques questions. Tu connais bien sûr madame Longchamp, monsieur Lavigne et monsieur Ming.

Je perds tout à coup un peu de mon assurance. Qu'est-ce que M. Ming fait là ? Je m'assois face au policier.

— Ne vous en faites pas, mademoiselle, vous n'êtes pas soupçonnée, commence l'agent Miron d'une voix rassurante. J'aimerais savoir si vous auriez vu quelqu'un ou quelque chose vendredi dernier. Selon le témoignage de Mme Longchamp, vous êtes retournée à l'intérieur de l'école après la fin des cours. Nous savons aussi que M. Ming terminait des corrections, mais il n'a rien entendu.

Pff ! Corrections, mon œil. Je réfléchis un instant et je jette un rapide coup d'œil à mon professeur d'anglais. J'affronte son regard quelques instants. C'est alors que je remarque le crayon qu'il fait tourner entre ses doigts. Un crayon décoré de bonshommes sourire. C'est celui que j'ai échappé près de la salle d'informatique vendredi. Sait-il que j'ai surpris sa conversation ?

— Alors, Marika ? questionne le directeur.

— Bien… Non. Je n'ai vu personne. M. Lavigne était dans la cafétéria, je crois, et je n'ai pas eu besoin de son aide, car mon local n'était pas verrouillé. J'ai récupéré ma clé et je suis aussitôt allée rejoindre mes amies.

Je ne vais quand même pas leur dire que je suis sortie par une fenêtre…

Je sens le regard de M. Ming peser sur moi. S'il croit m'intimider, il me connaît bien mal. Je vais lui coller aux semelles, celui-là, pour trouver ce qu'il mijote.

— Merci, ce sera tout, conclut l'inspecteur avec un rapide sourire.

— Très bien, Marika, tu peux retourner en classe, ajoute le directeur.

Je sors du bureau et je referme tranquillement la porte derrière moi en espérant entendre quelques bribes de conversation.

— Et les dossiers, madame Longchamp ?

— Il en manque quatre. Monette, Moreau, Morel et Morin.

Je regagne ma classe. Le dossier de Jade a bel et bien disparu.

À la récréation, je raconte à Annie comment s'est déroulée ma convocation. Jade a été appelée à son tour. L'agent Miron voulait rencontrer les élèves dont les dossiers ont été dérobés.

Plus tard, assises à la cafétéria, nous

mangeons en parlant de choses et d'autres quand Annie me pousse du coude. M. Ming, son manteau sur le dos, s'apprête à sortir. Comme toujours il tient à la main son inséparable porte-documents.

— Je le suis, dis-je en me levant. Je veux savoir où il va.

— Dîner, probablement, déclare Jade d'un ton moqueur.

Décidément, ma nouvelle amie n'a rien d'une espionne !

Je confie mon sac à lunch à Annie et j'emboîte discrètement le pas à M. Ming jusqu'à la sortie.

Du portique, je peux voir notre professeur attendre dans le stationnement. Une voiture bleue s'arrête devant lui. Une femme est au volant. Eh ! Je la reconnais. C'est la dame que j'ai bousculée vendredi soir.

— Marika ?

Je me retourne au son de la voix d'Annie. Quand je regarde de nouveau à l'extérieur, la voiture bleue s'éloigne avec M. Ming à son bord.

Le lendemain après-midi, durant la récréation, Annie et moi allons à la bibliothèque nous procurer de la documentation pour notre recherche de français. J'aperçois M. Ming assis dans le « coin lecture ». C'est un espace aménagé à l'écart. Il semble absorbé par son livre, son porte-documents appuyé contre son fauteuil. Soudain, il dépose son bouquin sur une table, se lève et se dirige vers la bibliothécaire à l'autre bout de la pièce. Je n'en crois pas mes yeux, son sac est là tout près de moi.

— Annie, dis-je en chuchotant, je suis certaine que je pourrais trouver des renseignements intéressants dans le porte-documents de M. Ming.

— Tu ne veux quand même pas fouiller dedans ! Et s'il te surprenait ?

— Je dois en avoir le cœur net. Juste un petit coup d'œil…

— Ah misère ! Et je parie que c'est moi qui doit monter la garde, soupire Annie en faisant la moue.

Elle nous fait alors entendre la mélodie.

— Oh ! Je reconnais cet air ! s'exclame Yan-Sue, c'est une vieille berceuse chinoise que ma mère chantait pour m'endormir quand j'étais petite.

Annie se retourne vers moi et je crois que nous avons la même idée. Yan-Sue parle chinois.

À la récréation, nous lui demandons si elle veut bien nous traduire le message trouvé dans la boîte à musique.

— Venez chez moi après l'école. Je ferai de mon mieux et ma mère pourra toujours m'aider si je ne comprends pas tout.

Dès que la cloche sonne, nous nous précipitons chez Jade.

— Dites, les filles, ça vous dérangerait beaucoup d'aller chez Yan-Sue sans moi ? demande Jade. J'ai vraiment du retard dans mon travail de français.

— Non, ce n'est pas grave, dis-je. Donne-moi le message, on reviendra te voir plus tard. À tantôt.

Nous rejoignons Yan-Sue chez elle. Après nous avoir présenté ses parents et sa grand-mère, elle s'installe et lit notre texte avec attention.

— Qu'est-ce que ça dit ? demande Annie.

— On dirait un poème. Il ne devrait pas être long à traduire… ma mère va me donner un coup de main.

Pendant qu'elles travaillent, la grand-maman nous apporte du thé dans de minuscules tasses de porcelaine et s'assoit ensuite avec nous. Comme elle ne parle pas français, la communication se fait par gestes et beaucoup de sourires.

Au bout de quelques minutes, Yan-Sue me tend la feuille.

— Voilà, c'est fait.

— C'est vraiment gentil de ta part, merci. Maintenant… on va devoir y aller.

— Au revoir et merci pour tout, ajoute Annie.

Il vaut mieux ne pas nous attarder, car je ne veux pas que notre amie chinoise

nous pose des questions au sujet de la provenance du message.

Une fois dehors je lis à haute voix :

— « *Monsieur,*
Le docteur est mauvais
Et celle aux yeux de glace aussi
Ils ont menti pour l'argent
Car il y avait deux trésors
Une pierre précieuse et une jolie fleur
La fleur est faible mais vivante
Je pars loin avec mon secret
Car si je parle la mort vous menace. »

— Qu'est-ce que ça peut bien signifier, Marika ? demande Annie. D'abord, est-ce qu'il s'agit bien d'un poème ?

— J'ai plutôt l'impression que c'est un message, mais qui l'a écrit et à qui s'adresse-t-il ? Ça demande réflexion.

— Regarde là-bas ! C'est Jade, s'écrie soudain Annie en pointant un doigt en direction du parc. Drôle de façon d'avancer son travail.

Je l'aperçois à mon tour. Elle est en train de flatter un jeune chien.

— Jade ! Jade ! crions-nous en même temps.

Notre amie se retourne et semble surprise. Elle se redresse et s'éloigne d'un pas rapide.

— Jade, attends !

Je m'élance à la course afin de la rejoindre. Pourquoi nous fuit-elle ?

— Marika, attention !

J'entends la voix d'Annie mais c'est trop tard. Je ne peux pas éviter le garçon qui arrive en planche à roulettes et je me retrouve bien vite assise par terre. Je le réprimande un peu vertement :

— Aïe ! Tu pourrais faire attention !

— Je pourrais te dire la même chose, répond-il en me tendant la main pour m'aider à me relever. Tiens, continue-t-il, c'est la demoiselle qui préfère les fenêtres aux portes...

Ah non ! pas encore lui. Annie me rejoint tout énervée.

— T'es-tu fait mal ? s'inquiète-t-elle.

Je la rassure.

— Non, ça va. Mais j'ai perdu Jade de vue.

— Votre amie n'avait pas l'air contente de vous voir, intervient le planchiste en tapant dans ses mains pour rappeler son chien. Viens, Chubby. Viens !

Le petit *golden* arrive en branlant la queue, suivi de deux autres garçons.

J'entreprends d'interroger le garçon à la planche.

— Tu la rencontres souvent par ici, notre amie ?

— Pourquoi est-ce que je te répondrais ? déclare-t-il, frondeur.

Je lui fais face. Il a de beaux yeux verts qui contrastent avec ses cheveux foncés.

— Tu es vraiment casse-pieds, à tous points de vue, dis-je.

Il éclate de rire et me paraît encore plus beau.

— Je m'appelle Laurent. Votre amie a l'air plutôt snob, et pas tellement en santé. Elle passe souvent ces jours-ci et s'arrête toujours pour flatter mon chien. Satisfaite ?

— Oui, merci. Moi, c'est Marika.

— Tu ne serais pas la sœur de Simon, par hasard ?

— Oui… Tu connais mon frère ?

— Bien sûr. Je fais de la planche à neige avec lui l'hiver. En fais-tu toi aussi ?

— Tu parles ! J'en fais même beaucoup, dis-je avec prétention.

— Alors, à un de ces jours, peut-être, lance-t-il en partant.

— Oui… mais la prochaine fois, regarde où tu vas !

— Wow ! As-tu vu comme il te regardait, Marika ? Il est plutôt mignon ! s'exclame Annie.

— Pas mal, je l'admets. N'empêche qu'on a perdu Jade. Et il y a quelque chose qui cloche.

— Quoi ?

— Le chien. Il me semblait que Jade était allergique aux chiens.

— C'est vrai, acquiesce Annie. C'était la panique chez Francis quand elle a vu Boff, l'autre jour. Il faut dire que Boff est loin

d'être petit. Le fait est qu'elle s'est mise à éternuer et que ses yeux sont devenus tout rouges en un rien de temps. Comment pouvait-elle flatter un chien il y a quelques instants ?

— Je ne vois qu'une possibilité, Annie. Cette fille n'est pas Jade. Mais alors, qui est-elle ? Ça se complique. Il faudrait voir Francis au plus tôt.

— Oui. Il y a autre chose qui cloche, Marika. Il me semble que tu n'as jamais fait de planche à neige.

Je ris.

— Non. Mais je peux apprendre…

Une mise
au point

Nous arrêtons chez Jade en passant. Son père nous ouvre la porte. C'est un grand monsieur qui paraît bien, malgré ses traits tirés et sa barbe de trois jours. Une valise dans l'entrée nous démontre que M. Morel vient d'arriver.

— Vous devez être Marika et Annie, fait-il en nous voyant.

— Oui. Est-ce que Jade est là ?

— Non, mais elle ne devrait pas tarder. Venez. Vous pouvez l'attendre au salon.

Il nous invite à le suivre. À ce moment, la porte s'ouvre et notre amie entre avec un sac de provisions dans les bras.

— Oh ! Vous êtes déjà là, lance-t-elle avec un grand sourire. Papa m'avait

envoyée chercher quelques petites choses à l'épicerie. Vous avez fait connaissance, je suppose ?

— Oui. Il est bien gentil, répond Annie.

Comme elle semble heureuse que son père soit là !

— Alors, la traduction ? demande-t-elle à voix basse.

Je lui fais lire le papier.

— En as-tu parlé à ton père ? s'informe Annie.

— Non, pas encore. Il vient à peine d'arriver. Heu… en fait, je lui ai demandé si vous pouviez venir souper demain soir. On pourrait en discuter tous ensemble. Il est d'accord et Francis peut venir aussi.

— Avec plaisir.

— C'est parfait. Arrivez vers dix-sept heures, conclut-elle.

Annie et moi allons sortir quand M. Morel apparaît dans le cadre de la porte.

— Vous serez là pour le petit souper de fête de ma fille demain ? nous demande-t-il en glissant un regard affectueux vers Jade.

— Oui, c'est sûr, dis-je. Petite cachottière, tu aurais pu nous dire que c'est ton anniversaire demain.

— Oh ! Voyons ! Ce n'est pas vraiment important, bafouille Jade en rougissant. À demain.

— Bye !

Nous faisons quelques pas sur le trottoir.

— Je me rappelle que l'anniversaire de Jade est aussi celui de la mort de sa mère et un triste souvenir pour son père. Je comprends maintenant pourquoi elle ne nous l'avait pas mentionné et ne semble pas s'exciter pour cette journée, déclare Annie.

Il fait déjà noir, il est presque dix-huit heures. Nous ferions bien de nous dépêcher, car mes parents vont s'inquiéter. Annie devient craintive dès que la noirceur tombe et finit toujours par m'énerver aussi. Soudain, nous entendons des pas se rapprocher derrière nous. Annie pousse un cri et manque de me faire tomber en bas du trottoir. Je me retourne et reconnais l'homme de chez San-thé.

— Désolé. Je ne voulais pas vous effrayer, grommelle-t-il avant de s'éloigner en clopinant.

— Ouf, il m'a fait peur. Cet homme est vraiment bizarre, chuchote Annie.

— Plutôt, oui. J'aimerais en savoir plus à son sujet.

Après le souper, Francis, Annie et moi faisons une partie de cartes. Tout en jouant, j'écoute distraitement mon père qui parle au téléphone.

— ... oui, c'est ça. Non, ce serait trop long. Recommandé ? D'accord. Au nom de M. Cheyard. Oui, je vous l'épelle. Charlie, Hotel, Echo, Yankee, Alfa, Romeo, Delta. C'est ça. Merci, au revoir, Gilles.

Je relève la tête d'un coup sec.

— Qu'est-ce que tu racontais ? Alfa Roméo ou je ne sais plus quoi ?

— J'épelais simplement un nom en alphabet aéronautique à M. Rioux.

— Qu'est-ce que c'est ?

— C'est un code universel qui est beaucoup utilisé dans l'aviation et la marine.

C'est un peu comme le morse mais avec des mots pour représenter les lettres. Par exemple, si je te dis J, tu pourrais entendre G, alors que si je te dis Juliet pour le J et Golf pour le G il n'y a pas de confusion. Tu comprends ?

— Mais oui ! Tout à fait, m'écrié-je avec enthousiasme.

Mon père griffonne sur un papier quelques instants et me tend bientôt la feuille.

— Tiens. Je t'ai écrit les mots qui vont avec chaque lettre. Ça te servira peut-être un jour.

A	Alfa	J	Juliet	S	Sierra
B	Bravo	K	Kilo	T	Tango
C	Charlie	L	Lima	U	Uniform
D	Delta	M	Mike	V	Victor
E	Echo	N	November	W	Wisky
F	Fox trot	O	Oscar	X	X-ray
G	Golf	P	Papa	Y	Yankee
H	Hotel	Q	Quebec	Z	Zoulou
I	India	R	Romeo		

— Tu ne crois pas si bien dire. Merci, mon papounet, dis-je en l'embrassant sur la joue.

— Qu'est-ce que tu mijotes encore, Marika ? me demande mon père.

— Rien du tout, ne t'en fais pas...

Je monte déjà les marches quatre à quatre vers ma chambre, suivie de mes amis. Je récupère le papier que j'avais glissé sous mon oreiller vendredi soir dernier et je le compare avec les indications de mon père.

— Juliet voudrait dire J... Si on prend la première lettre des autres mots, Mike, Oscar, Romeo, Echo, Lima, on a : MOREL.

— M. Ming parlait donc de Jade, suppose Annie. Qu'est-ce qui se passe ? J'espère qu'elle n'est pas en danger.

Tous les trois assis sur mon lit, nous essayons de faire le point.

— On dirait un casse-tête, avance Annie, toutes les pièces semblent avoir un rapport entre elles...

— Mais il nous manque encore des tas de morceaux, intervient Francis. Chose

certaine, Jade a un sosie, son dossier a été volé et le porte-documents de M. Ming contient des informations sur sa famille.

— Oui, et ce dernier est peut-être un imposteur. Il connaissait l'existence des papiers dans la boîte à musique, dis-je. Il a aussi parlé d'une greffe le 10 octobre, donc dans trois jours, et d'éliminer quelqu'un. Serait-ce Jade ou son père ?

— Sans oublier l'herboriste qui a été bouleversé en voyant Jade et qui semble nous suivre depuis, ajoute Annie. Et dans le porte-documents de M. Ming, Marika, y avait-il autre chose ?

— Oui, une chemise avec l'inscription « Juliette » qui contenait entre autres une feuille signée « Dr Wilson » et une adresse : « Marie T. Morel, 24, avenue des Saules ».

— Avez-vous mis Jade au courant ? s'informe Francis.

— Non, pas encore. Je lui ai seulement demandé si elle connaissait l'avenue des Saules et ça ne lui disait rien.

Nous passons au peigne fin une carte détaillée de la ville et allons aussi voir sur Internet, sans plus de succès. Il n'y a pas d'avenue des Saules.

— Puisque Marie est morte, ce doit être une vieille adresse, conclut Annie.

— Mais oui, le cimetière! Annie, tu es super! s'exclame Francis. C'est tellement grand qu'on a dû le diviser en rues et en avenues pour s'y retrouver. Je me rappelle, j'y suis déjà allé et ça m'avait impressionné. Demain, on pourrait profiter de la journée pédagogique et s'y rendre pour vérifier.

Ce soir-là, j'ai peine à m'endormir, tout se bouscule dans ma tête. Je planifie la journée du lendemain. Acheter un cadeau pour Jade, trouver l'identité de l'herboriste, aller au cimetière... Je suis excitée, les choses se précisent.

Le 8 octobre

Jeudi matin, Francis, Annie et moi allons d'abord acheter un petit cadeau d'anniversaire pour Jade. Nous faisons le tour de quatre boutiques pour enfin revenir à la première. Francis commence à ronchonner.

— On n'est pas déjà venus ici, tantôt?

— Oui, mais c'est ici qu'il y a le super chandail bleu et c'est celui-là qu'on va acheter, lui explique Annie.

— Pourquoi ne l'avez-vous pas acheté tout de suite au lieu de perdre du temps dans les autres boutiques? demande encore Francis.

— Parce qu'on voulait s'assurer que c'était le plus beau, dis-je. Tu comprends?

— Pas du tout, me répond Francis, l'air découragé. Ah ! oubliez ma question.

Nous entrons ensuite à la pharmacie pour acheter une carte de souhaits. Nos achats terminés, nous nous dirigeons vers la boutique San-thé pour tenter d'en apprendre davantage sur l'herboriste.

— J'y vais, dit Francis. Moi, il ne me connaît pas. Attendez-moi à l'extérieur.

Il revient bientôt avec un sac de noix de cajou.

— L'as-tu vu ? demandons-nous avec empressement.

— Non, c'est une fille qui m'a servi. Elle m'a dit qu'il était absent et m'a remis sa carte professionnelle, annonce-t-il fièrement en la brandissant sous nos yeux.

« Dr *Paul Lazure* »
« *Spécialiste en greffes et en transplantations* »

Un déclic se fait dans ma tête. J'en fais part à mes camarades.

— M. Ming a parlé de greffe au téléphone.

— Je me demande s'il y a un lien entre M. Ming et Paul Lazure, commente Francis.

— Et qu'est-ce que Jade et son père viennent faire dans tout ça ? continue Annie.

Pas vraiment plus avancés, nous nous dirigeons vers le cimetière. Nous arrivons devant la grille.

— Vous voulez vraiment qu'on entre ? murmure Annie d'un ton craintif.

— Il le faut bien, dis-je. Il fait jour, il n'y a pas de quoi avoir peur.

Nous suivons les allées en lisant les plaquettes d'indications.

— Avenue des Mélèzes... des Peupliers... des Oliviers... des Aulnes... des Saules !

— J'avais raison, dit Francis, il faut maintenant trouver Marie T. Morel.

— Chut ! murmure Annie. Il y a quelqu'un là-bas. On dirait Paul Lazure.

Nous nous glissons derrière un monument funéraire et l'observons à son insu. L'homme s'agenouille devant une tombe et dépose un bouquet de fleurs. Quelques

minutes passent. Enfin, il se relève et s'éloigne, la tête basse.

— C'est bien lui, il a l'air triste.

Après son départ, nous attendons un bon moment avant de nous précipiter vers l'endroit qu'il vient de quitter.

— Ces fleurs sont magnifiques ! s'exclame Annie.

Nous lisons alors l'inscription sur la pierre tombale et restons bouche bée.

« *Marie et Jacinthe Tanzhe-Morel*
8 octobre 1991.
La première décédée à 27 ans,
et la seconde à la naissance. »

— Jade avait une jumelle ! s'écrie Francis. Elle ne semble pas le savoir. Elle n'est donc jamais venue ici.

— Qu'est-ce qu'on fait ? Est-ce qu'on le lui dit ? demande Annie. C'est assez triste comme nouvelle. Apprendre que sa sœur…

— Non ! J'ai l'impression qu'elle est toujours vivante, dis-je. Souvenez-vous du

message en chinois. «*Ils ont menti pour l'argent... la fleur est faible mais vivante.*» Une pierre précieuse et une fleur, mais oui : Jade et Jacinthe. J'ai plusieurs questions à poser à François Morel.

— Espérons qu'il veuille bien y répondre, conclut Francis.

À dix-sept heures pile, Jade nous ouvre la porte.

— Bon anniversaire !

Annie, Francis et moi embrassons notre amie et lui remettons notre cadeau.

— Merci, c'est gentil. Venez.

Elle nous conduit au salon où son père se lève et nous tend la main en souriant.

— Bienvenue, dit-il. Assoyez-vous. Je vous laisse quelques instants, car je dois terminer les préparatifs de notre petit banquet... continue-t-il en quittant la pièce.

— Regardez ce que papa m'a offert.

Elle nous montre un chevalet avec un tas de pinceaux et de tubes de couleurs.

— Wow ! Chanceuse ! s'exclame Annie qui adore dessiner et peindre.

— C'est super ! ajoute Francis.

Jade déballe ensuite notre présent et s'empresse d'aller enfiler son nouveau chandail.

— À table ! nous invite une voix provenant de la cuisine.

— À table ! ... À table ! répète M. Jacob, le perroquet.

François Morel est un homme fort sympathique. Il nous raconte plusieurs anecdotes de voyage passionnantes. Jade resplendit de bonheur.

Après le souper, notre amie quitte la table.

— J'ai aussi une surprise pour toi, papa, annonce-t-elle en allant vers sa chambre. Ferme les yeux un instant. Je reviens tout de suite.

De retour, elle pose la boîte à musique devant son père et remonte le mécanisme pour faire jouer la mélodie.

— Je peux regarder ? demande-t-il.

— Non, écoute d'abord.

Le moment qui suit est très émouvant. François Morel, les yeux humides, se tourne vers sa fille.

— Je n'avais pas entendu cette musique depuis bien longtemps, dit-il d'une voix enrouée en tendant les bras à Jade.

Cette dernière, émue, s'y blottit.

Je me retourne vers mes amis. Annie, toujours aussi sensible, se mouche franchement. Francis, le nez rougi, contemple ses dix doigts faute de savoir où regarder et moi... zut ! je crois que j'ai une poussière dans l'œil...

— C'est le grand-père d'Annie qui l'a réparée, explique Jade, mais ce n'est pas tout. Regarde ce qu'il a trouvé à l'intérieur.

M. Morel examine les papiers que Jade lui tend.

— Ça alors ! s'écrie-t-il en lisant la courte note qui lui est adressée. Et ça, qu'est-ce que c'est ?

— C'est un message écrit en chinois, dis-je.

— Et voici la traduction, ajoute Jade en remettant une autre feuille à son père.

— La sage-femme... Oui, c'est sûrement elle, marmonne-t-il en se parlant à lui-même.

— Quelle sage-femme ? demande Jade.

— Celle qui a accompagné Marie à l'accouchement.

— Papa, j'aimerais savoir ce qui s'est passé le jour de ma naissance. Je suis assez vieille pour connaître la vérité, je pense, déclare Jade.

M. Morel pousse un long soupir. Après un moment de réflexion, il acquiesce de la tête, s'éclaircit la voix et commence à raconter les événements.

— Marie est entrée à l'hôpital deux semaines plus tôt que prévu.

Je ne me pardonnerai jamais de n'avoir pas été auprès d'elle au moment de l'accouchement. Je venais de faire une importante découverte en génétique que je devais présenter à un colloque international. Ce matin-là, je me suis aperçu que mon dossier avait disparu. Je me suis mis à paniquer pour ces foutus papiers et je les ai

cherchés partout. Sans succès évidemment. J'ai reçu un appel me demandant de venir d'urgence à la salle d'accouchement, car il y avait un problème. Quand je suis arrivé, ma femme était décédée à la suite d'une forte chute de pression. Par contre, ma fille se portait bien. L'infirmière qui me l'a annoncé ne montrait aucun signe de compassion. Je me souviens encore d'elle. Elle avait un œil vert et un œil brun, et un regard à vous glacer les os.

Plus tard dans la soirée, je suis retourné à mon laboratoire et j'ai surpris Paul, notre meilleur ami, qui fouillait dans mon bureau. J'ai tout de suite conclu qu'il avait volé mes documents. J'étais tellement en colère que je n'ai pas voulu entendre ses explications. J'ai perdu la tête. J'ai sorti une arme que je gardais par sécurité dans un tiroir et j'ai tiré dans sa direction. Il est tombé.

Je me suis enfui et j'ai erré toute la nuit. J'en voulais au monde entier, je crois. Au petit matin, j'y suis retourné, m'attendant à y trouver la police et à me déclarer

coupable. À ma grande surprise, il n'y avait aucune trace de sang et mes documents étaient revenus à leur place. Depuis, je n'ai jamais revu Paul.

— Papa, ton meilleur ami ne s'appelait-il pas Lazo ? s'informe Jade.

— Oui, c'était un diminutif pour Paul Lazure.

Annie et Francis se retournent vers moi. Comme eux, j'ai compris que l'homme de chez San-thé est le troisième mousquetaire de la photo.

— Vous avez parlé d'une sage-femme… s'enquiert Annie.

— Oui, une vieille dame chinoise. Elle parlait très peu le français, mais Marie l'adorait. Aux funérailles, elle était bouleversée. Elle m'a bredouillé quelques mots presque en cachette comme si elle avait peur que quelqu'un nous surprenne : « secret, médecin mauvais, vérité dans musique… »

— « Vérité dans musique »… C'est donc bien elle qui a glissé le message dans la boîte à musique, déduit Francis.

— Probablement. Quelques jours après, continue François Morel, j'ai voulu la contacter pour comprendre le sens de ses paroles et savoir si elle accepterait de venir demeurer avec nous et d'être la nounou de Jade. Je me suis rendu chez elle et j'ai appris par son concierge qu'elle avait quitté son logement sans laisser d'adresse.

— Et... Jacinthe ?

Je parle tout doucement, espérant que M. Morel ne se fâche pas.

Il semble surpris par ma question.

— Comment savez-vous ? demande-t-il.

— C'est une longue histoire, mais on a vu la tombe de Marie et Jacinthe.

— De quoi parlez-vous ? s'impatiente Jade. Qui est Jacinthe ?

— C'était ta sœur jumelle, lui répond son père. Elle est décédée à la naissance.

— Et tu ne me l'as jamais dit ! s'écrie Jade, furieuse.

— Je t'en aurais parlé éventuellement, mais ce sont des événements tellement douloureux que je ne pouvais pas me

décider à te les raconter. Tout s'est passé vite ce jour-là. Quand je suis arrivé à la salle d'accouchement, le docteur Wilson avait déjà emmené l'autre bébé. Je savais que Marie voulait l'appeler Jacinthe et c'est ce que j'ai écrit sur le formulaire de décès qu'on m'a remis, mais j'avoue que je n'y ai pas prêté grande importance. J'étais atterré.

— Vous voulez dire que vous n'avez jamais vu Jacinthe ? demande Francis.

— Ça doit vous paraître terrible mais, non, je ne l'ai jamais vue.

Je m'apprête à donner des détails au sujet de la possibilité que Jacinthe soit vivante quand le téléphone sonne. François Morel se lève en s'excusant pour aller répondre.

— Quoi ! Ce n'est pas sérieux ! Je viens juste d'arriver. Et Jean-Marc ? Il pourrait y aller à son tour. Je comprends que ce n'était pas prévu, mais je suis revenu à Villémont pour avoir un peu de stabilité. Bon, j'y serai, mais après vous me laissez

tranquille pour un bout de temps. Oui, oui, d'accord, au revoir.

Le père de Jade raccroche le combiné avec fracas. Il n'a pas l'air content du tout.

— Je dois me rendre en Californie. On inaugure un nouveau laboratoire de géné- tique à l'université et ils ont besoin de moi pour donner une session de formation. Il semble qu'il n'y ait personne d'autre pour le faire à part moi. Je vais devoir vous laisser, car j'ai des papiers à préparer. Je pars très tôt demain matin.

— Pour combien de temps? demande Jade, qui a perdu son sourire.

— Quatre jours. Ma chérie, je te pro- mets qu'à mon retour on terminera cette discussion et que je répondrai à toutes tes questions. Je vais appeler Mme Dawson tout de suite. Je suis désolé, les enfants, de terminer la soirée ainsi.

Jade est de mauvaise humeur et dépas- sée par la nouvelle apprise un peu plus tôt.

Même si le moment semble mal choisi, nous lui résumons nos récentes découvertes.

L'identité de l'herboriste, notre visite au cimetière et nos suppositions sur le fait que Jacinthe pourrait être vivante.

— Ouf ! soupire Jade. Je crois que ma tête va exploser. J'ai besoin de réfléchir à tout ça. Chose certaine, j'ai bien l'intention d'avoir une conversation avec ce Paul Lazure.

— N'y va pas seule, conseille Annie. Tu ne sais pas ce qu'il veut, il est peut-être dangereux.

— Annie a raison, on ira avec toi.

— Bon, on en reparlera demain, lance Jade sur le pas de la porte. Bonne nuit. Et merci encore pour le cadeau.

Dr Paul Lazure

De retour chez moi, je me relaxe un peu au salon avec mes parents quand Simon descend nous rejoindre.

— Eh! Marika, regarde dans le journal. Il y a la photo d'une fille qui ressemble drôlement à ton amie Jade. En regardant vite, en tout cas.

— Ah oui? dis-je en tournant les pages.

En effet, la ressemblance est évidente. Je lis : « *La veuve de l'homme d'affaires très connu Charles de Ricincourt, décédé en juin dernier, est en ville pour quelque temps. Elle est accompagnée de sa fille gravement malade qui subira d'ici peu une greffe de la moelle épinière à l'Hôpital Saint-Grégoire. Le docteur Wilson, chargé du dossier, a bon*

espoir pour la vie de sa patiente. Il s'agit d'une opération délicate et il semblerait qu'on ait trouvé une donneuse compatible qui préfère garder l'anonymat. »

Une photo accompagne l'article. On y voit une dame blonde qui tient une jeune fille par le cou. Cette dernière est légèrement de côté, mais malgré tout la ressemblance avec Jade est frappante. Elle a des cheveux très noirs et des traits asiatiques. Il n'y a aucun doute, si Jacinthe est vivante, ça ne peut être qu'elle. Je découpe l'article et le mets dans mon cahier de notes.

Le lendemain, en classe, Mme Carignan distribue le questionnaire pour un test de mathématiques. Je regarde Annie et Jade en me croisant les doigts afin de leur souhaiter bonne chance. Je me concentre sur les chiffres qui sont devant moi et j'essaie d'oublier le reste pour l'instant.

Fini l'examen, je descends à la cafétéria.

— Ouf ! Je suis contente de l'avoir terminé, celui-là, soupire Annie. As-tu vu Jade ?

— Non, elle est sortie une des premières.

— Elle aurait au moins pu nous attendre.

Après le dîner, nous sommes assises dans la classe. Jade n'est toujours pas réapparue. Où a-t-elle bien pu passer ?

— Marika ! s'exclame Alexis, un de nos copains, en entrant dans la classe. Je suis sorti de l'examen en même temps que Jade ce matin et elle m'a remis un message pour toi.

J'ouvre rapidement l'enveloppe. « *J'ai décidé d'aller rencontrer Paul Lazure cet après-midi. Désolée de ne pas vous avoir prévenues. Je vous retrouve chez toi après l'école et je vous raconterai tout. Jade* »

Annie lit la note à son tour.

— Ah l'imprudente ! J'espère qu'il ne lui arrivera rien.

Nous attendons que le cours d'anglais commence. M. Ming est en retard. En parlant du loup... La porte s'ouvre, mais ce n'est pas le petit monsieur au crâne presque chauve qui entre. C'est une suppléante.

— Bonjour, je suis Laura Perkins. Je remplacerai M. Ming pour aujourd'hui. Veuillez vous présenter chacun votre tour et me dire au moins trois phrases en anglais.

Je suis inquiète. Jade seule chez Paul Lazure et M. Ming absent... L'après-midi me semble interminable.

Persuadées que Jade nous attend, nous quittons l'école en marchant le plus rapidement possible. Nous arrivons chez moi tout essoufflées. Il n'y a personne. Nous téléphonons chez Jade... Pas de réponse. Les minutes qui suivent s'écoulent très lentement.

— Annie, arrête de tourner en rond, tu m'énerves.

— Je me fais du souci pour elle, Marika. Je n'en peux plus d'attendre, gémit Annie.

— Tu as raison, moi non plus je n'en peux plus. Je crois qu'il vaut mieux aller faire un tour à l'herboristerie. Si c'est ce M. Lazure qui doit faire la greffe et que Jade soit sans le savoir la « donneuse anonyme », elle pourrait être en danger.

Je téléphone à Francis pour le mettre au courant et lui demander de nous accompagner à la boutique San-thé. Il ne tarde pas à nous rejoindre. Nous arrivons à la boutique à l'heure de la fermeture. Paul Lazure s'apprête à sortir et semble étonné de notre intrusion. Nous lui bloquons le passage.

— Où est-elle ? demande Francis.

Paul Lazure nous regarde d'un air ébahi.

— De qui parlez-vous ? bafouille-t-il.

— De Jade Morel, bien sûr. On sait qu'elle est venue ici.

— En effet, mais elle n'y est plus.

— On est aussi au courant pour la greffe, docteur Lazure, renchérit Annie d'un ton accusateur que je ne lui connaissais pas. Vous ne vous en tirerez pas si facilement.

— Je peux vous la montrer, si vous le voulez, offre-t-il, soudain enthousiaste. J'ai enfin réussi. Vous savez, c'est un grand jour pour moi.

Et il s'en vante en plus. Ça alors ! Méfiants et sans trop comprendre, nous le suivons

jusqu'à l'arrière-boutique, qui débouche dans une serre. Mmm! Quel parfum.

— Du bambou fleuri comme sur les peintures! s'exclame Annie. C'est magnifique.

— Merci, c'est le résultat de bien des années de recherche et de patience.

Nous admirons les grosses grappes de fleurs bleues, roses et blanches qui ornent de minces tiges de bambou.

— La floraison des bambous peut être très rare, voire inconnue chez certaines espèces, nous explique M. Lazure. Dans ce cas-ci, j'ai utilisé une découverte en génétique que j'ai appliquée en botanique et j'ai greffé des jacinthes sur le bambou. J'ai appelé cette plante le Marie-Jade en l'honneur d'une amie qui peignait les bambous avec passion, de sa fille Jacinthe, décédée, et de son autre fille, Jade.

Je demande :

— Mais alors… vous n'êtes pas médecin ? Pourtant, votre carte professionnelle…

— Docteur en botanique, oui, précise-t-il.

— Spécialiste en greffes et transplantations de plantes, évidemment ! s'écrie Annie.

— On a donc fait fausse route, remarque Francis. Alors où est passée Jade ?

— Elle est venue ici cet après-midi, mais elle est repartie vers quinze heures. Sa visite m'a surpris. Sa ressemblance avec sa mère est frappante. Elle voulait des explications au sujet d'un événement qui s'est passé autrefois dans sa famille.

— Aviez-vous vraiment volé les formules de M. Morel ? demande Annie.

— Ah ! vous êtes au courant. Je les avais simplement empruntées ; je ne pouvais pas prévoir que Marie accoucherait d'avance et qu'en plus tout finirait mal. Je m'apprêtais à les remettre en place quand François... M. Morel est entré. Je n'ai pas eu le temps de m'expliquer, il m'a tiré dessus et m'a atteint à la jambe. J'ai inventé une histoire au médecin qui m'a soigné. Par la suite, j'ai croisé la sage-femme dans le corridor, elle était dépassée par les événements. Je lui ai

remis une note pour François en lui faisant comprendre de la lui donner. J'ai su par Jade comment il vient de la retrouver. J'avais complètement perdu la trace des Morel et, depuis toutes ces années, je m'acharne à réussir ce bel hommage pour Marie pour qui j'avais une grande affection. Cette fois, ça y est. J'ai promis à Jade d'avoir une bonne conversation avec son père dès son retour.

C'est le temps d'aller souper. Nous nous excusons auprès de l'herboriste pour notre intrusion de tout à l'heure et le remercions de ses explications.

— Je suis soulagée de savoir que Jade est rentrée chez elle, dit Annie en marchant.

— Oui, j'ai hâte de la voir, mais je continue à m'inquiéter. La greffe doit avoir lieu le lendemain et l'absence de M. Ming me semble un drôle de hasard.

Dans la soirée, mon humeur passe de l'inquiétude à la frustration. Jade n'a toujours pas donné signe de vie. Soudain, le

téléphone sonne et je me précipite pour répondre. C'est Annie.

— Toujours pas de nouvelles?

— Non, rien. Je lui ai téléphoné plusieurs fois, mais il n'y a pas de réponse. Il commence à se faire tard. Si on se rendait chez elle tôt demain matin?

— Bonne idée. On se rejoint devant le dépanneur, d'accord? Je vais téléphoner à Francis pour l'avertir.

— Parfait, à demain, huit heures.

Une course
contre la montre

L'air frisquet finit de nous réveiller et c'est d'un bon pas que nous marchons vers la montée Dutil. Chez Jade, les rideaux sont tirés. Nous frappons sans obtenir de réponse. Je tourne la poignée et, à ma grande surprise, la porte n'est pas verrouillée. Nous entrons sur la pointe des pieds. Tout est silencieux.

— Jade ! Jade, es-tu là ? crie Annie en s'avançant vers le salon.

M. Jacob s'agite sur son perchoir.

— Vous ! Vous ! Comment entré ? Vous ! Comment entré ?

— Dis donc, il nous reconnaît. Il est brillant cet oiseau, dis-je sans réfléchir.

— Mais non, Marika. Rappelle-toi : il répète ce qu'on dit devant lui.

— Alors ce seraient les paroles de Jade. À qui parlait-elle ? À quelqu'un qu'elle connaissait, on dirait.

— Grotess… ! Vous ! Grotess… ! Bonjourr ! Bonjourr !

Je regarde le perroquet d'un air ahuri. Je m'approche doucement pour essayer de le calmer. Il me laisse toucher ses plumes.

— Qu'est-ce que vous avez dit, monsieur Jacob ?

— Monsieur Jacob, vous ! me répond-il avant de rentrer dans sa cage et de me tourner le dos comme pour se mettre à l'abri.

— Annie, M. Jacob a dit « grotess ». Ça ne te rappelle pas quelqu'un ? C'est M. Ming qui dit tout le temps ça et en plus il n'était pas à l'école. Et si c'était à lui que Jade s'adressait ?

— Marika, Annie, venez vite ! nous crie tout à coup Francis. Je suis dans la cuisine.

En entrant dans la pièce, nous trouvons Francis en train de donner un verre d'eau

à Mme Dawson. Cette dernière semble complètement confuse.

— Ah ! mon Dieu, qu'est-ce qui m'est arrivé ? … Je ne comprends pas… Jade ? … Attendez… je… oui, je me souviens.

— Savez-vous où est Jade ? dis-je en lui tenant la main.

— Elle a eu un accident… Une voiture l'a frappée alors qu'elle revenait de l'école et l'ambulance l'a amenée à l'hôpital. Une dame est venue me prévenir à mon arrivée ici, à seize heures trente. J'étais tellement énervée, elle m'a donné un calmant. Je suis venue prendre un peu d'eau et je ne me souviens plus de rien. Quelle heure est-il ?

— On est samedi matin, il est huit heures cinquante.

— C'est impossible ! J'ai dormi tout ce temps-là ? Oh ! mon Dieu ! Ma petite Jade. Je dois rejoindre M. François…

— Venez vous asseoir au salon, dit Annie ; appuyez-vous sur moi, ça va vous aider.

Je tire Francis à l'écart :

Nous roulons à vive allure.

— Ah non ! La police est derrière nous. J'ai exagéré sur la vitesse.

Je me retourne et je vois les gyrophares. Zut alors ! Nous n'avons pas de temps à perdre.

— Annie, vite, tombe dans les pommes, dis-je soudain.

— Quoi ?

— Fais ce que je te demande et mets ce linge sur ton front.

La voiture s'arrête. Paul ouvre la fenêtre et un policier s'approche.

— Je suis désolé, monsieur l'agent. Ma fille a fait une chute et s'est frappé la tête. Je l'emmène d'urgence à l'Hôpital Saint-Grégoire. Je crois qu'elle a une commotion.

— C'est bon. Suivez-moi, je vais vous ouvrir le chemin.

— Merci, monsieur l'agent, s'empresse de répondre Paul.

Super ! La voiture de police nous précède jusqu'à l'hôpital, avec sirène et gyrophares en marche.

— Pourvu qu'il n'ait pas l'idée de nous accompagner jusqu'à l'intérieur, dit Francis dès que notre auto s'arrête.

— Il faudra juste assommer Annie pour de vrai.

— Très drôle, Marika, réplique mon amie.

— Oups ! Annie, montre-nous tes talents de comédienne, pouffe Francis.

Le policier sort de sa voiture et se dirige rapidement vers l'urgence d'où il revient bientôt en poussant une civière. Nous aidons Annie à s'étendre dessus. Je sens les épaules de mon amie se contracter. Elle est prise d'un fou rire. Je me penche vers elle et lui glisse à l'oreille :

— Si tu ris, je te fais le bouche-à-bouche…

Une chance pour nous, le policier reçoit un autre appel. Il s'excuse de devoir nous quitter et repart aussitôt. Ouf ! Nous le remercions chaleureusement. Nous pouvons enfin rire à notre aise.

— Bon, un peu de sérieux. On doit retrouver Jade, et vite.

Saint-Grégoire est un très grand hôpital. Paul questionne la réceptionniste. Cette dernière n'a pas tellement l'air de vouloir coopérer.

— Le docteur Bernard Wilson travaille-t-il aujourd'hui ?

— Je pense que oui, c'est à quel sujet ?

— J'aimerais savoir où je peux le trouver.

— Avez-vous un rendez-vous ?

— Non, pas du tout. Écoutez, une jeune fille doit se faire opérer pour une greffe ce matin.

— Êtes-vous parent avec elle ?

— Non, euh, oui. En fait... je suis un très bon ami.

— Désolée. Seule la famille est autorisée à avoir des détails confidentiels.

— Dites-moi seulement si cette opération a bien lieu ce matin.

La réceptionniste soupire et daigne enfin décrocher le combiné. Elle parle quelques instants et nous confirme qu'il y a bien eu une transplantation sur une jeune fille ce matin, mais qu'elle a été devancée

d'une heure. La patiente sortira bientôt de la salle de réveil et sera transférée dans la chambre B-324.

— La patiente ? Les patientes, vous voulez dire.

Paul Lazure commence à s'énerver. Je lui tape dans le dos. La réceptionniste s'occupe déjà de quelqu'un d'autre.

— Venez. On va la trouver nous-mêmes, dis-je tout bas.

Nous prenons l'ascenseur et décidons de nous séparer. Annie et Paul iront téléphoner au père de Francis pour qu'il vienne avec du renfort et, à tout hasard, passeront par la salle d'urgence. Francis et moi irons voir au bloc opératoire pour tâcher d'y trouver des renseignements. Rendez-vous à la chambre B-324 dès que possible.

Nous marchons d'un pas rapide. Il ne faut surtout pas avoir l'air de ne pas savoir où nous allons. Un écriteau avec une flèche indique « *Bloc opératoire* ».

— C'est par là, fait Francis.

Nous nous dirigeons vers le bout du couloir. Au moment de franchir les deux grosses portes battantes, une voix nous arrête.

— Eh, les jeunes, où allez-vous comme ça ? Vous n'êtes pas autorisés à vous promener ici.

Une infirmière s'approche de nous.

— Mon amie vient d'être opérée et j'avais promis d'être là à son réveil.

— Il faudra attendre qu'elle soit dans sa chambre.

— Dites-moi au moins si tout va bien pour elle, fais-je d'un ton suppliant en la fixant.

C'est alors que je remarque ses yeux : un brun et un vert. C'est la dame que j'ai bousculée l'autre jour. C'est donc aussi l'infirmière dont nous a parlé le père de Jade.

— C'était une longue opération. Ça ira sûrement mieux dans quelques jours. Maintenant descendez, ordonne-t-elle sèchement. Vous devez bien être avec vos parents ou un adulte.

Elle interpelle un préposé et lui demande de nous guider vers la sortie. Tournant rapidement les talons, elle disparaît derrière les portes battantes. Nous suivons l'homme à contrecœur dans l'ascenseur jusqu'au rez-de-chaussée. Dès qu'il nous quitte, nous décidons de remonter quand nous faisons face à M. Ming. Il parle dans son cellulaire. Il semble très étonné de me voir.

— Marika ! Qu'est-ce que vous f...

Je ne lui laisse pas le temps de finir sa phrase et je l'enguirlande.

— Vous ! Où est Jade ? Vous êtes un affreux monstre. Et vous allez le regretter s'il lui est arrivé malheur. C'est vous qui l'avez enlevée. Vous n'êtes qu'un bandit, une crapule...

Francis et moi nous élançons vers l'ascenseur, qui s'apprête à monter.

— Attendez, mademoiselle Johnson !

Les portes se referment.

Nous descendons à l'étage suivant pour semer M. Ming.

— Francis, il faut retourner au bloc opératoire, j'ai tellement peur pour Jade.

Nous remontons par les escaliers cette fois et jetons un coup d'œil dans le couloir. Il n'y a personne. Francis me montre du doigt un écriteau : « *Lingerie* ». Discrètement, nous entrons dans la pièce remplie de serviettes et de draps. Tapis dans l'ombre, nous maintenons la porte entrouverte et nous surveillons les allées et venues dans le corridor qui mène à la salle d'opération. Les portes s'ouvrent, laissant le passage à une civière poussée par une infirmière accompagnée d'un chirurgien en uniforme. Il enlève son masque de protection. Une dame élégamment vêtue se précipite vers eux :

— Enfin ! Est-ce que tout s'est bien passé, docteur Wilson ?

C'est donc lui, le fameux docteur Wilson. Cette dame est probablement la mère adoptive de la jumelle de Jade.

— Très bien, elle devrait reprendre des forces d'ici quelques jours. Je vais la laisser aux bons soins d'un de mes collègues.

— J'aurais sincèrement aimé pouvoir remercier la donneuse, déclare la dame.

— Ce n'est malheureusement pas possible. La personne a demandé de garder l'anonymat le plus complet.

— J'en suis bien désolée.

— Au revoir, madame.

La civière s'éloigne. Le médecin revient sur ses pas. Les portes du bloc opératoire s'ouvrent à nouveau. L'infirmière qui nous a renvoyés tantôt apparaît dans l'embrasure. Le docteur Wilson lui fait un signe de la tête et retourne à la salle d'opération tandis qu'elle s'avance en poussant une autre civière. Je n'aperçois qu'une mèche de cheveux très noirs. C'est Jade. Il faut absolument savoir où elle l'emmène. Nous attendons que les portes de l'ascenseur se referment, puis nous allons vite voir le numéro de l'étage où il s'arrêtera.

— Quatrième étage, constate Francis. On est au deuxième.

— Prenons les escaliers, ça ira plus vite.

Nous montons les marches quatre à quatre et débouchons dans un autre couloir juste à temps pour voir l'infirmière bifurquer vers la gauche. Sur un panneau, des flèches indiquent : «*Zone désaffectée. Accès interdit*».

— Francis, c'est trop risqué. Redescends, Annie a dû rejoindre ton père et il doit déjà être ici avec de l'aide. Va leur dire où me trouver. Je vais essayer de m'approcher de Jade et de gagner du temps.

— D'accord, mais ne fais pas d'imprudences, me dit-il avant de s'éloigner.

Je longe le mur jusqu'à une porte restée ouverte. L'infirmière n'est pas là. Je m'approche du lit. C'est bien Jade. Oh ! mon amie, il faut que je te sorte d'ici. Je touche son bras. On dirait qu'elle a froid, mais je sens son pouls. Elle vit toujours, au moins je n'arrive pas trop tard. Des pas se rapprochent. Je me retourne.

— Encore toi ! fait l'infirmière aux yeux de glace, l'air vraiment contrarié. Les visites

ne sont pas permises ici. C'est une zone de soins intensifs.

— C'est plutôt macabre comme endroit, dis-je d'une voix pleine de sous-entendus.

— Allez, ça suffit maintenant. Retourne en bas.

— Je ne bougerai pas d'ici. Si vous m'embêtez, je crie !

— Je vais devoir appeler la sécurité, déclare-t-elle d'un air menaçant.

Cause toujours, tu m'intéresses. Je sais très bien qu'elle n'en fera rien. Elle s'attirerait des ennuis. Jade est en danger et je suis persuadée que cette infirmière fait partie de ses ennemis.

— Bon, tant pis pour toi, ajoute-t-elle froidement en quittant la pièce.

Vite Francis ! J'espère qu'il a rejoint les autres et qu'ils vont bientôt arriver. Je me penche sur mon amie. C'est affreux. Ce médecin est une crapule et un assassin.

Je perçois trop tard une présence sournoise qui s'approche derrière moi.

Je sens une légère douleur dans mon bras. Tout se met à tourner. Les objets autour de moi se déforment. On dirait que j'étouffe. J'entends des voix qui me semblent lointaines.

— Je t'avais prévenue...

Un cri de femme, une voix d'homme. Je connais cette voix... tout devient noir, puis plus rien...

L'étonnant
M. Ming

J'ouvre les yeux. J'ai mal à la tête. Annie se précipite vers moi.

— Marika Johnson, ne me refais plus jamais ça ! s'exclame-t-elle. J'ai eu tellement peur pour toi.

Elle me serre très fort.

— Annie, tu m'étouffes !

— Désolée, dit-elle en essuyant une larme. Tu l'as échappé belle, tu sais. Si M. Ming n'était pas arrivé à temps, Dieu sait ce qui...

— M. Ming ?

— Oui, en réalité l'agent Mike Yong. Il va tout nous expliquer un peu plus tard.

— Et Jade ?

— Tu lui as sauvé la vie. Repose-toi encore un peu. On va tout te raconter tout à l'heure.

J'ai plusieurs questions sans réponses pour l'instant, mais ma tête me fait mal et je suis volontiers le conseil d'Annie.

Le lendemain matin, je me sens beaucoup mieux. Depuis hier, Annie et Francis ont à peine quitté mon chevet. Ils m'ont raconté que l'infirmière m'avait injecté un fort sédatif avec l'intention de se débarrasser de moi en même temps que de Jade. Cette même femme aurait volé le dossier de Jade à l'école, car il contenait des informations dont elle avait besoin pour l'opération.

Annie, qui s'était absentée quelques instants, entre dans ma chambre en poussant un fauteuil roulant.

— Viens, on nous attend, annonce-t-elle. C'est l'heure des explications et des réunions de famille.

Francis me pousse jusqu'au B-324. Je pourrais très bien marcher, mais je me plie

au bon vouloir d'Annie qui s'obstine à prendre soin de moi depuis mon réveil.

Jade est assise sur le bord du lit de Jacinthe. Les deux jumelles se tiennent la main et rayonnent de bonheur. Pour être identiques, elles le sont vraiment. Je crois qu'elles en auront pour des milliers d'heures à se raconter leur vie.

— Marika ! s'écrie Jade. Approche, je veux te présenter ma sœur.

Je me lève et tends une main affectueuse vers Jacinthe. Jade m'attrape par le cou au passage et m'embrasse sur la joue.

— Merci pour tout, me chuchote-t-elle à l'oreille. Tu es vraiment une super amie. Chapeau à la détective, ajoute-t-elle en me faisant un clin d'œil.

La porte de la chambre s'ouvre à nouveau. Paul Lazure entre avec François Morel, revenu d'urgence de son voyage forcé, ainsi qu'avec la mère adoptive de Jacinthe. Ils sont suivis de Mike Yong alias M. Ming. Ce dernier se dirige vers moi. Je rougis jusqu'aux oreilles. De quoi est-ce

que je l'ai traité déjà ? « Affreux monstre, bandit, crapule. » Je tente de m'excuser.

— Je suis désolée, j'ai été impolie envers vous et tellement… heu…

— « Grotesque ? » dit-il en riant. Ça va, Marika. Tu avais raison de croire que j'étais méchant et de me soupçonner. Tu as eu beaucoup de flair et de courage. Bravo. Tu pourrais proposer ta candidature aux services secrets un jour, continue-t-il sur un ton blagueur. Tu m'as aussi donné du fil à retordre. J'ai eu peur que tu ne découvres ma véritable identité.

Mike Yo**ng** (Ming) nous explique à tous :

— Je suis le fils de la sage-femme chinoise qui a pris soin de Mme Morel durant sa grossesse. Depuis un certain temps, les services secrets pour lesquels je travaille essayaient de démanteler un trafic de bébés. L'année dernière, ma mère s'est libérée d'un terrible secret avant de mourir. Elle m'a confié que, parce qu'elle avait assisté à l'accouchement de Marie, le docteur

Wilson et sa femme l'avaient menacée de faire disparaître François Morel si jamais elle révélait ce qu'elle savait. Apeurée, la pauvre femme a écrit le message que l'on sait et l'a caché dans la boîte à musique de Marie en espérant que François le trouve. Elle est retournée vivre en Chine pour y finir ses vieux jours. J'ai rapidement associé le dossier sur lequel je travaillais et les aveux de ma mère. Je me suis donc mis à la recherche de Bernard Wilson.

De connivence avec sa femme, Arlette Green, qui était aussi son infirmière, le docteur Wilson dirigeait un commerce de vente de bébés. Ses acheteurs étaient tous des étrangers riches et souvent haut placés, incapables d'avoir des enfants. Le docteur Wilson faisait croire à des parents de jumeaux qu'un des bébés n'avait pas survécu. Il faisait disparaître l'enfant, lui procurait de faux papiers de naissance et le remettait à sa famille d'adoption en échange d'une grosse somme d'argent. Dans ce cas-ci, la mort de Marie Morel et

l'absence de François leur ont grandement facilité la tâche. Le seul témoin était ma mère, qu'ils ont terrifiée avec des menaces.

M. Yong poursuit :

— La jumelle de Jade était de santé fragile et, au fil des années, son état s'est détérioré. Ses parents ont contacté Bernard Wilson. Ce dernier leur a assuré qu'il pourrait la sauver en lui faisant une greffe de moelle épinière. La personne qui pouvait le mieux faire ce don sans danger de rejet était bien sûr Jade, sa jumelle. Il a donc retrouvé la trace des Morel, aidé de « M. Ming » qui jouait un double jeu. Il voulait ensuite faire disparaître Jade en prétextant les suites d'un accident pour éviter que les parents de Jacinthe ne la rencontrent et ne découvrent le pot aux roses.

— Est-ce bien vous qui avez enlevé Jade ? demande Annie.

— Je suis allé chez elle avec Mme Green ; nous l'avons endormie et transportée en ambulance pour justifier notre mise en scène de l'accident.

— Pourquoi avez-vous collaboré à l'enlèvement ? insiste Annie.

— Mon rôle était de protéger Jade mais non d'empêcher l'opération qui ne menaçait pas sa santé et sans laquelle Jacinthe n'aurait eu aucune chance de survivre. Leur tentative de meurtre était le dernier élément de preuve qui manquait pour clore mon enquête et les faire arrêter. Comme ils ont devancé l'heure de l'opération sans m'avertir, j'ai failli arriver trop tard. Heureusement que vous, Marika et vos amis étiez là.

J'ai eu mon congé de l'hôpital en fin d'après-midi. Je suis bien contente d'être de retour à la maison. Mes parents ont invité à souper Annie et sa mère, Carole, ainsi que Francis et son père. Nous regardons les nouvelles à la télévision tous ensemble avant de nous mettre à table.

— Chut ! dit ma mère. Ils parlent de votre histoire.

— « ... un trafic de bébés démantelé. Le docteur Bernard Wilson et son épouse,

Arlette Green, ont été appréhendés dans cette histoire. Plusieurs accusations pèsent contre eux. Vente d'enfants, fausses déclarations de mortalité et de naissance, agressions et tentatives de meurtre. L'agent Mike Yong, en charge de cette affaire, tient à féliciter Marika Johnson, qui a risqué sa vie pour tenter de sauver celle de son amie, ainsi qu'Annie Martin et Francis Lepage, qui lui ont donné un bon coup de main. Nous aurons plus de détails sur toute cette affaire au bulletin de vingt-deux heures. »

Le téléphone sonne.

— Sûrement des journalistes qui veulent te parler, Marika, me taquine mon frère en allant répondre.

— Allô. Eh ! salut. Oui, elle va bien… non… d'accord, je vais lui faire le message. Merci d'avoir appelé. Bye… Marika, depuis quand connais-tu mon ami Laurent ? demande Simon en raccrochant le téléphone.

— Heu… C'est une longue histoire.

— En tout cas, il appelait pour te féliciter et te souhaiter prompt rétablissement.

— Wow ! Marika, s'écrie Annie.

Je la regarde avec des mitraillettes dans les yeux et elle comprend vite mon message. Heureusement, l'intérêt de Simon est capté par les nouvelles du sport et j'évite ainsi des questions de sa part. Nous passons à table.

— Simon, dis-je en fixant mon assiette, tu veux bien m'apprendre à faire de la planche à neige ?

— Peut-être. On verra l'hiver prochain.

Annie et Francis se font un clin d'œil et me regardent d'un air moqueur.

— Quoi ? J'en ai assez du ski, et la planche, c'est un nouveau défi…

Nous éclatons de rire. Mon frère n'y comprend rien, mais notre bonne humeur le gagne aussi et le souper se termine dans la gaieté.

Et les jumelles ? Le père de Jade et la mère de Jacinthe ont beaucoup de choses à régler, mais ils ont l'air de bien s'entendre. Pour l'instant, ils ont convenu de demeurer dans la même ville afin de se rencontrer le

plus souvent possible. Au fond, l'important, c'est que Jade et Jacinthe soient heureuses et que tous ces événements aient fait comprendre à François Morel combien il tient à sa fille… pardon, à ses filles.

Table
des matières

9-11 ANS

Dans la même collection

Le Calepin noir
Joanne Boivin

Clovis et Mordicus
Mireille Villeneuve

Le Congrès des laids
Lucía Flores

Fierritos et la porte de l'air
Lucía Flores

L'Idole masquée
Laurent Chabin

Le Mystère du moulin
Lucia Cavezzali

Opération Juliette
Lucia Cavezzali

La Planète des chats
Laurent Chabin

Une course folle
Cécile Gagnon

Une tonne de patates !
Pierre Roy

— Excellente déduction. Avertis-moi s'il revient.

— Il parle à Mme Chagnon. Elle a l'air de chercher un renseignement pour lui. Vas-y, mais fais vite, s'il te plaît.

Discrètement j'entrouvre le sac. Des feuilles de cours, un agenda, des examens…

— Marika, dépêche-toi, m'avise Annie. M. Ming est en train de noter quelque chose, il ne tardera pas à revenir.

Déçue, je m'apprête à laisser tomber. Tiens, qu'est-ce que c'est ? Une chemise marquée « *Juliette* ». Il y a des informations sur la famille Morel et des photos. Ah ! J'aimerais avoir le temps de lire tout ça attentivement. Un papier signé « Docteur Wilson », une adresse : Marie T. Morel, 24, avenue des Saules…

— Marika, il revient !

— Attends, je veux juste noter quelque chose.

— Tu n'as pas le temps !

Je referme vivement le sac pour m'apercevoir que je suis coincée. Je ne peux pas

m'éloigner sans faire face à M. Ming. À quatre pattes, je me faufile derrière un divan. J'ai l'air fin. Pourvu que personne ne me voie !

J'entends Annie qui interpelle le professeur.

— Pardon, monsieur Ming, pourriez-vous m'aider un instant ? Je n'arrive pas à rejoindre ce livre. C'est trop haut.

Ouf ! Qu'elle est brillante ! Je me dépêche de m'éloigner entre les allées de livres.

— Vous cherchez quelque chose, mademoiselle Johnson ?

Je me rends compte que je suis toujours à quatre pattes. Bravo, Marika, c'est réussi.

— Heu... non, hé, hé... en fait oui, mais je l'ai retrouvée, dis-je en brandissant fièrement mon efface.

Fiou ! Sauvée par la cloche, comme dit l'expression. La récréation est terminée et nous devons retourner en classe. Annie a mal aux côtes à force de rire.

— Si tu avais vu ton air, Marika. Attends que je raconte ça à Francis.

— Bon, ça va, ça va.

Le message chinois

Mercredi matin, au cours d'anglais, il est intéressant de voir ce que chacun a apporté et de connaître les raisons pour lesquelles les objets sont précieux. Certains, comme moi, ont apporté un objet de leur plus tendre enfance comme une doudou ou leur premier jouet de bébé. J'ai choisi mon vieux Crapoucin, une poupée de chiffon que ma grand-mère m'avait donnée et que j'affectionne particulièrement. D'autres, dont Annie, ont opté pour des objets qui leur rappellent une personne chère. Elle nous explique pourquoi son Pierrot en porcelaine lui rappelle son père. Plusieurs ont apporté des collections. Alex nous fait bien rigoler avec la sienne. Une collection

de chewing-gums déjà mâchés, classés par saveurs et préférences, qu'il a commencée à l'âge de six ans.

M. Ming semble vivement intéressé par la boîte à musique de Jade. Il questionne mon amie sur l'âge de la boîte et sur le fait qu'elle fonctionne encore si bien.

— Elle ne fonctionnait plus, explique Jade, mais le grand-père d'Annie me l'a réparée. Le mécanisme était bloqué.

— C'est bien. Qu'as-tu fait des papiers ?

Je suis tout à coup plus attentive. Il a dit « des papiers » alors que Jade n'a jamais mentionné leur existence. Comment sait-il ? Je m'interpose en espérant que Jade s'en aperçoive.

— Elle les a jetés. C'étaient de vieux papiers jaunis par le temps et...

— Mademoiselle Johnson, c'est grotesque de couper la parole à quelqu'un de cette façon.

— Je suis désolée, dis-je en lançant un regard insistant à Jade.

— Oui, comme dit Marika, je les ai jetés.